CW00688042

Un personnage de Thierry Courtin
Couleurs : Françoise Ficheux

Loi n°49-956 du 16 juillet 1949
sur les publications destinées à la jeunesse,
modifiée par la loi n°2011-525 du 17 mai 2011.
© 2012 Éditions NATHAN, SEJER,
25 avenue Pierre de Coubertin, 75013 Paris
ISBN : 978-2-09-253991-0
Achevé d'imprimer en janvier 2015
par Lego, Vicence, Italie
N° d'éditeur : 10211185 - Dépôt légal : septembre 2012

T'choupi
Maman attend un bébé

Illustrations
de Thierry Courtin

Aujourd'hui, papa
et maman ont une grande
nouvelle à annoncer :
– T'choupi, tu vas
avoir une petite sœur
ou un petit frère.

– Mais il est où, le bébé ?
Maman sourit.
– Il est dans mon ventre
et il grandit doucement. Il faudra
patienter jusqu'aux vacances
pour le voir.
– Ouh là là, c'est dans longtemps !

T'choupi touche le ventre
de maman.
– Bonjour bébé... Hi hi, on dirait
qu'il a bougé !
– Oui, il te dit bonjour.

– Moi, je veux jouer
avec le bébé.
– Tu sais, quand il naîtra,
le bébé sera tout petit :
il ne saura pas parler,
ni marcher… ni jouer !

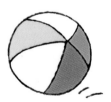

– Dis, maman, on peut aller
au square ?
– Je suis un peu fatiguée,
mon T'choupi : demande
à papa de t'y emmener !

T'choupi est tout fier.

– Ma maman, elle a un bébé
dans son ventre !

À la maison, T'choupi fait
un dessin pour le bébé.
– C'est très gentil ! dit papa.
On va l'accrocher au-dessus
de son lit.

Tous les jours, T'choupi
demande :
– Il arrive quand, le bébé ?
– Bientôt, mon chéri.
Sois patient !

Enfin, un matin, maman part
à l'hôpital.
– À très vite, mon T'choupi.
Sois bien sage avec mamie !

Le lendemain, T'choupi
et papa vont voir maman.
– Voici ta petite sœur !
– Bonjour jolie Fanni. Je suis
ton grand frère, T'choupi !